まちごとチャイナ
北京 001

はじめての北京
ニーハオ!北京
［モノクロノートブック版］

JN118539

東アジア全域に広がる国土、世界最大規模の人口、4000年の歴史をもつ中国の首都北京。万里の長城や明清時代に皇帝が暮らした故宮（紫禁城）を抱えるなど、中華の伝統を今に伝え、1949年の中華人民共和国の成立以来、首都がおかれている。

　　古代中国文明が育まれた黄河中流域からすれば、北京の地は東北の辺境に過ぎなかったが、10世紀ごろから北方の騎馬民族が南の農耕世界をうかがうための拠点となった。その後、モンゴル族（元）を破った明の永楽帝が元の居城

（大都）跡に紫禁城を造営し、明清時代の500年間を通じて、皇帝の都として繁栄を見せていた。

　このような歴史から北京中心部では、明清時代の街区を今でも残し、胡同と呼ばれる昔ながらの路地に人々の生活が息づいている。一方で経済発展を続ける中国の首都として、次々に高層ビルが姿を現し、郊外に向かって街は拡大を続けている。現在、北京は故宮や天壇公園、頤和園、万里の長城、明十三陵といった多くの世界遺産を抱え、古さと新しさが共存する巨大都市となっている。

Asia City Guide Production
Beijing 001

Beijing

北京／běi jīng／ベイジン

｜まちごとチャイナ｜北京 001｜

はじめての北京

ニーハオ！北京

「アジア城市（まち）案内」制作委員会
まちごとパブリッシング

Contents

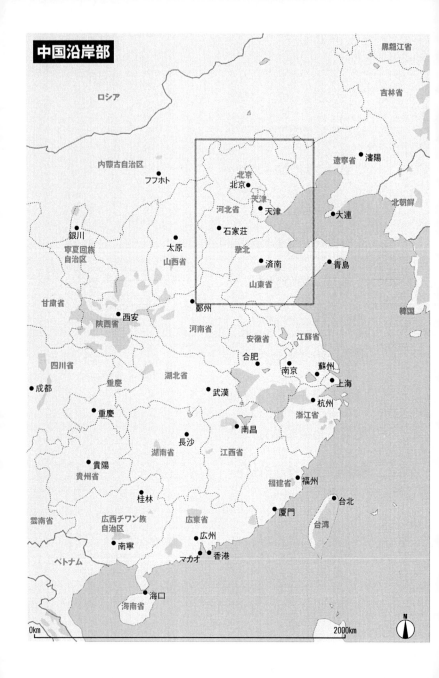

中国沿岸部

熊龍江省

ロシア

吉林省

内蒙古自治区

フフホト

遼寧省　瀋陽

北京
北京

天津
天津

河北省

北朝鮮

大連

銀川

寧夏回族
自治区

太原

山西省

石家荘

冀北

済南

山東省

青島

韓国

甘粛省

鄭州

西安

陝西省

河南省

安徽省

江蘇省

四川省

重慶

湖北省

合肥

南京

蘇州

上海

成都

武漢

杭州

浙江省

重慶

南昌

長沙

貴陽

湖南省

江西省

貴州省

桂林

福建省　福州

台北

雲南省

広西チワン族
自治区

広東省

廈門

台湾

広州

ベトナム

南寧

マカオ

香港

海口

海南省

0km

2000km

N

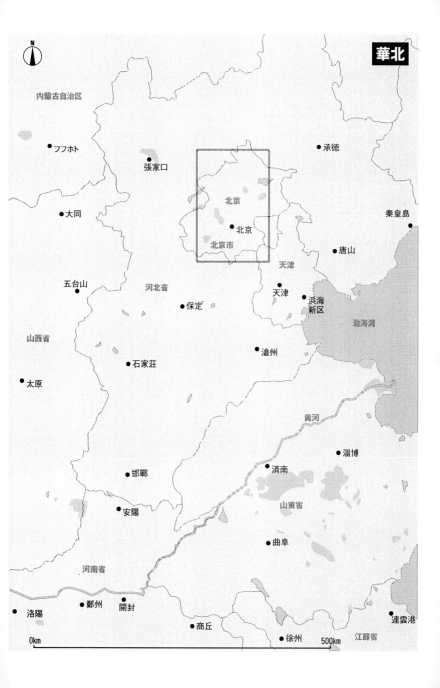

皇都700年の煌き

元、明、清、ラスト・エンペラー溥儀が退位するまで
北京には絶大な権力をもった皇帝が暮らしていた
故宮を中心に放射状に広がる悠久の都

故宮を中心とした空間

かつて皇帝が暮らした故宮(紫禁城)を中心に、強い中華の秩序のもと北京の街は構成されている。永定門、前門、天安門、午門、太和殿、鼓楼、鐘楼が南北の軸線上にならび、祖先をまつる太廟(労働人民文化宮)、農業神をまつる社稷壇(中山公園)が東西に配置されている。これらは中国の伝統的な『周礼』「考工記」をもとにしたもので、また故宮を中心に南に天壇、北に地壇、東に日壇、西に月壇がおかれている(祭祀が行なわれた)。北京には皇帝を中心とする儒教的な空間秩序が残り、明清時代から現在まで街の中心部の構造は変わっていないという。

万里の長城近くに

紀元前の始皇帝の時代、またそれ以前から北方民族の侵入をふせぐために築かれてきた万里の長城。北京郊外に八達嶺長城が走っていることからも、北京は中国の国土のなかでは北(東北)にかたよって位置し、ちょうど農耕地帯と草原地帯の折衝地帯にあたる(明の永楽帝がこの街に遷都し、南京にあった都に対して、北京と名づけた)。燕山や太行山脈といった山々が北京の三方向をとり囲み、南に開けた地理は風水的

にも龍脈が集まる「王者の地」だと言われる。

北京の劇的な四季

　北京は渤海湾から150km離れた内陸に位置し、夏は暑く、冬は寒い乾燥した気候をもっている。春(4〜5月)になると黄土高原やゴビ砂漠から飛んでくる黄砂が吹き、うだるような暑さの夏が到来する。また秋には美しい紅葉で彩られ、冬には湖の氷が凍てつきスケートを愉しむ人々が見られるといった劇的な四季が展開する。

北京市街と北京郊外の構成

　北京の見どころや世界遺産は、市街部と郊外にわかれて点在する。「故宮」と満州旗人が暮らしたその周囲の「内城」、またこの内城南側の漢族の暮らした「外城」が、明清時代の北京にあたる。内城では「胡同」と呼ばれる一層、四合院建築の連続する昔ながらの通りが見られ、「南鑼鼓巷」や「什刹海」界隈ではいくつもの胡同が走る。また外城では庶民の活力を感じられ、「前門」から「大柵欄」「瑠璃廠」にかけての一帯には、老舗店舗の中華老字号もならんでいる。この外城には明清皇帝が祭祀を行なった「天壇公園」も残り、北京という街が、地上と天を結ぶ大きな装置の役割を果たしていたことがわかる。こうした明清時代以来の古い街並みをさけるように、20世紀末以降、市街東部の朝陽区が北京新市街として開発された。「中国尊」や「中国中央電視台」といった高層建築、巨大建築が北京CBDには林立し、日々、変貌していく都市の躍動感にあふれている。一方、郊外に目を転じると、古くからの景勝地で清朝夏の離宮のあった西山の「頤和園」、農耕地帯と遊牧地帯をわけるように走る「万里の長城（八達嶺長城）」、また古くからの人類の営みが確認された「周口店北京原人遺跡」が位置する。

故宮の九龍壁、龍は皇帝を象徴する

北京の中心に位置する故宮（紫禁城）

北京郊外に残る盧溝橋

最先端をゆく三里屯、躍進を続ける北京の姿

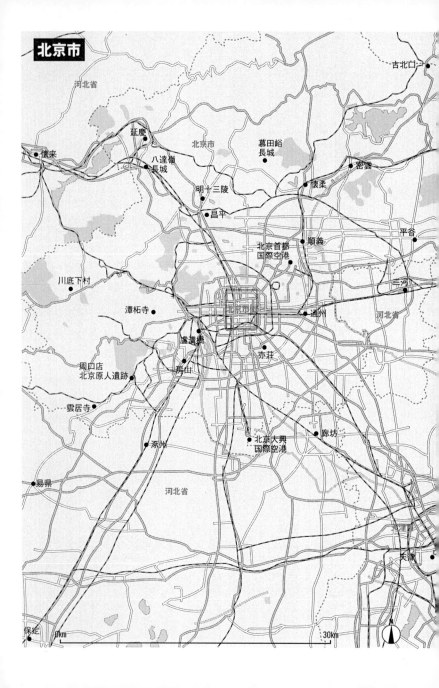

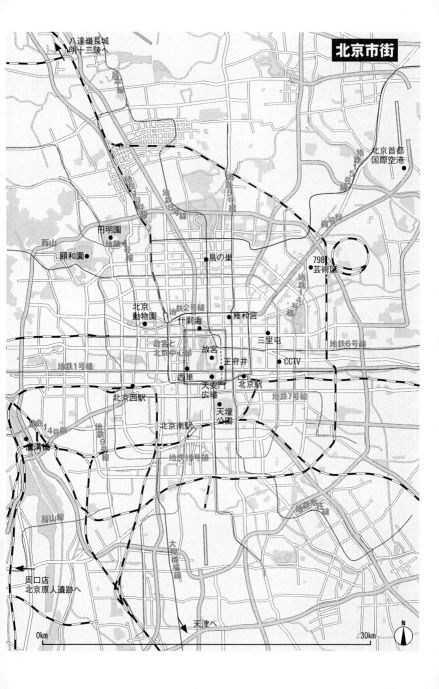

北京市街

八達嶺長城
明十三陵へ

北京首都
国際空港

円明園

西山

頤和園

鳥の巣

798
芸術区

北京
動物園

地鉄2号線

雅和宮

什刹海

三里屯

地鉄6号線

故宮と
北京中心部

故宮

王府井

CCTV

西単

北京駅

地鉄1号線

天安門
広場

地鉄7号線

北京西駅

天壇
公園

地鉄14号線

北京南駅

盧溝橋

房山線

大興機場線

周口店
北京原人遺跡へ

天津へ

0km   30km

N

★★★

天安門広場／天安门广场 tiān ān mén guǎng chǎng ティエンアンメングゥァンチャン
故宮博物院／故宫博物院 gù gōng bó wù yuàn グゥゴンボゥウユァン
天壇公園／天坛公园 tiān tan gōng yuán ティエンタンゴンユェン
頤和園／颐和园 yí hé yuán イィハァユェン
明十三陵／明十三陵 míng shí sān líng ミンシィサンリン
八達嶺長城／八达岭长城 bā dá lǐng cháng chéng バァダァリンチャァンチャン

★★☆

什刹海／什刹海 shí chà hǎi シーチャーハイ
中国中央電視台／中国中央电视台 zhōng guó zhōng yāng diàn shì tái チョングゥオチョンヤンディエンシィタイ
三里屯／三里屯 sān lǐ tún サンリィトゥン
798芸術区／798艺术区 qī jiǔ bā yì shù qū チィジュウバァイイシュウチィウ
鳥の巣 (北京国家体育場)／鸟巢 niǎo cháo ニィアオチャオ

★☆☆

雍和宮／雍和宫 yōng hé gōng ヨンハァゴン
盧溝橋／卢沟桥 lú gōu qiáo ルゥゴウチャオ
周口店北京原人遺跡／周口店北京人遗址 zhōu kǒu diàn běi jīng rén yí zhǐ チョウコウディエンベイジンレンイィ
チィ

Gu Gong
故宮鑑賞案内

天安門広場、故宮、景山へと続く南北の強い軸線
中国の理想が描かれた『周礼』をもとに
北京の街はかたちづくられてきた

天安門広場／天安门广场★★★
tiān ān mén guǎng chǎng
ティエンアンメングァンチャン

　毛沢東の肖像がかかげられた天安門前に位置する巨大な天安門広場。東西500m、南北880mの規模をもつ世界最大の広場で、中華人民共和国の象徴的な場所として知られる。1949年の中華人民共和国の建国にあたって整備され、歴史的には五四運動や文化大革命、天安門事件などの舞台にもなってきた。北側に故宮が位置するほか、敷地内に毛沢東の遺体をおさめた毛主席紀念堂、東に中国国家博物館、西に人民大会堂がならぶ。

故宮博物院／故宫博物院★★★
gù gōng bó wù yuàn
グゥゴォンボゥウユァン

　北京中心部に位置する故宮博物院は、東西753m、南北961mの敷地をもち、周囲を高さ10mの城壁で囲まれている。かつてここは紫禁城と呼ばれ、明清時代の700年にわたって皇帝が暮らし、中華世界の中心となってきた。皇帝の玉座があった太和殿を中心に軸線上に建物がならび、9999の部屋をもつと言われる。屋根には皇帝にのみ許された黄金の瑠璃瓦が使われ、皇帝を象徴する龍（また鳳凰は皇后を意味

毛沢東の画像が見える、天安門広場

屋根先の走獣、最高格の太和殿には10ならぶ

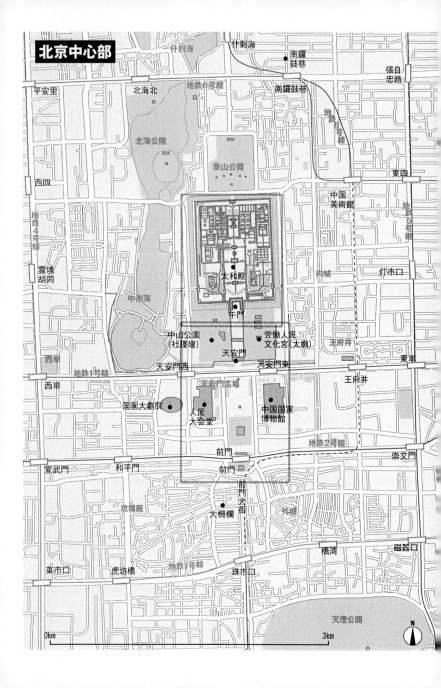

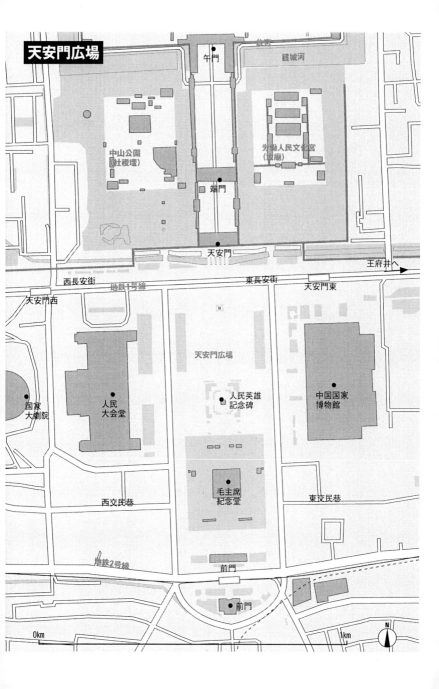

天安門広場

午門

護城河

中山公園
(社稷壇)

労働人民文化宮
(太廟)

端門

天安門

王府井へ

西長安街　　地鉄1号線　　　　東長安街　　　　天安門東

天安門西

天安門広場

国家
大劇院

人民
大会堂

人民英雄
記念碑

中国国家
博物館

西交民巷

毛主席
紀念堂

東交民巷

地鉄2号線

前門

前門

0km　　　　　　　　　　　　　　　　　　　　　　　1km

N

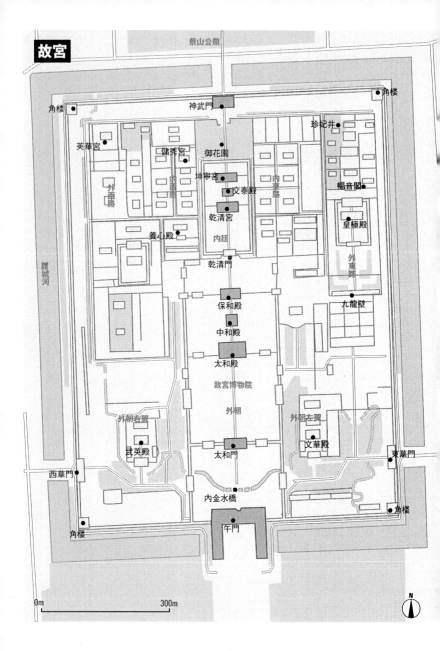

故宮

景山公園

角楼
角楼
神武門
珍妃井
英華宮
儲秀宮
御花園
暢音閣
坤寧宮
交泰殿
内　路
乾清宮
皇極殿
養心殿
内廷
外東院
乾清門
保和殿
九龍壁
中和殿
太和殿
故宮博物院
外朝
外朝右翼
外朝左翼
武英殿
文華殿
太和門
東華門
西華門
内金水橋
角楼
角楼
午門

筒城河
外西路

0m　　　　　　300m

N

する)、皇帝の数字9(極数)の意匠で彩られている。北側の神武門を出たところにそびえる景山からは故宮を一望できる。

ふたつの故宮

　　北京と台北(台湾)の二ヵ所に存在する故宮博物院。清朝崩壊後に紫禁城から故宮へと名称が変更され、1925年以来、博物院として公開されるようになった(当時、北京は北平と呼ばれ、故宮の内廷には引き続きラスト・エンペラーこと溥儀が暮らしていた)。1931年の満州事変以降、日本軍が華北に進出するようになると、宝物を略奪されることを恐れた当時の国民政府が南方へ運び出し、その後、国共内戦に突入したため四庫全書や玉などの遺品は台湾へ渡ることになった。

外朝／外朝★★☆
wài cháo
ワイチャオ

　　故宮の正門である午門(高さ38m)から入り、太和門、太和殿、中和殿、保和殿と続く外朝。ここは皇帝が家臣の官吏と公式に謁見する場所だったところで、とくに太和殿は「宇宙

★★★
天安門広場／天安門广场 tiān ān mén guǎng chǎng ティエンアンメングゥァンチャン
故宮博物院／故宫博物院 gù gōng bó wù yuàn グゥゴォンボゥウュァン
天壇公園／天坛公园 tiān tan gōng yuán ティエンタンゴンユェン

★★☆
外朝／外朝 wài cháoワイチャオ
内廷／内廷 nèi tíngネイティン
王府井／王府井 wáng fǔ jǐngワンフージン
什刹海／什刹海 shí chà hǎiシーチャーハイ
前門(正陽門)／前门 qián ménチエンメン
瑠璃廠／琉璃厂 liú li chǎngルーリーチャン

★☆☆
北海公園／北海公园 běi hǎi gōng yuánベイハイゴンユゥエン
南鑼鼓巷／南锣鼓巷 nán luó gū xiàngナンルゥオグゥシャン
大柵欄／大栅栏 dà shān lánダァシャンラン

壮大な規模をもつ外朝、黄金に輝く瑠璃瓦が続く

漢字と満州文字が併記されている

世界最大の門と言われる午門、ここから故宮へ入る

清代、豊かな宮廷文化、民衆文化が花開いた

の中心」と考えられ、皇帝が坐する玉座がおかれていた。科挙に合格して選ばれた官吏たちが、太和殿前の広場で皇帝にひれ伏すといった光景がかつて見られたという。皇帝の司る日晷(暦を調べる)や嘉量(度量衡)が銅製の鶴や亀の近くに配されているほか、建物の屋根には魔除けの走獣が見られ、その数が多いほど宮殿の格式が高いことを意味する。

内廷／内廷★★☆
nèi tíng
ネイティン

故宮後方に位置し、外朝三殿と対になるようにならぶ内廷三宮。内廷は皇帝、皇后、女官らが暮らした私的な空間で、皇帝とその親族以外の男子が入ることは原則許されず、女官や宦官(去勢された男性)の世界が広がっていた。乾清宮が皇帝が日常の業務を行なった正宮で、その北の坤寧宮(皇后の正宮)、故宮の北側の門である神武門の軸線を中心に、東西に女官たちの暮らす宮殿が配されていた。清朝末期に活躍した西太后の名前は、西側の宮殿に暮らしていたことから名づけられた。

北京内城城市案内

**清代、城壁に囲まれていた北京内城には
満州族の旗人が暮らしていた
今でも縦横に走る当時の胡同が残る**

王府井／王府井★★☆
wáng fǔ jǐng
ワンフージン

　故宮の東側を南北に走る通りの王府井は、20世紀になっ
て北京随一の繁華街へと成長した。もともと明の永楽帝の
時代に10の王府がおかれ、この王府の一角に水の出る井戸
があったため、王府井という名前がつけられた（かつて日本人
からは「北京銀座」と呼ばれていた）。現在では東方新天地、百貨大
楼、新東安市場といった大型ショッピングモールにくわえ
て、清朝の宮廷料理を今に伝える譚家庁、老舗帽子店の盛錫
福、茶をあつかう呉裕泰茶荘、羊肉のしゃぶしゃぶ「涮羊肉」
を出す東来順などの中華老字号もならぶ。1917年に開館し
た北京飯店、北京の小吃を楽しめる王府井小吃街も位置す
る。

北海公園／北海公園★☆☆
běi hǎi gōng yuán
ベイハイゴンユゥエン

　故宮の西側に広がる北海公園。元代に整備された宮廷地
区の一部だったところで、北方の玉泉山からひかれた水が
北海、中海、南海をつくっている。冬になると凍りつく氷上
でスケートを愉しむ人々が見られるほか、湖近くに広がる

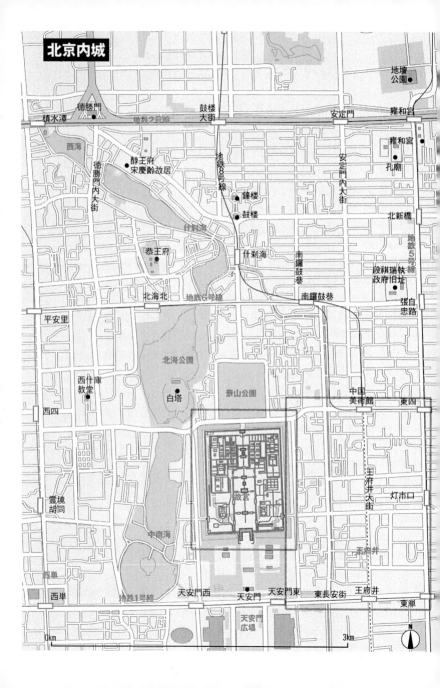

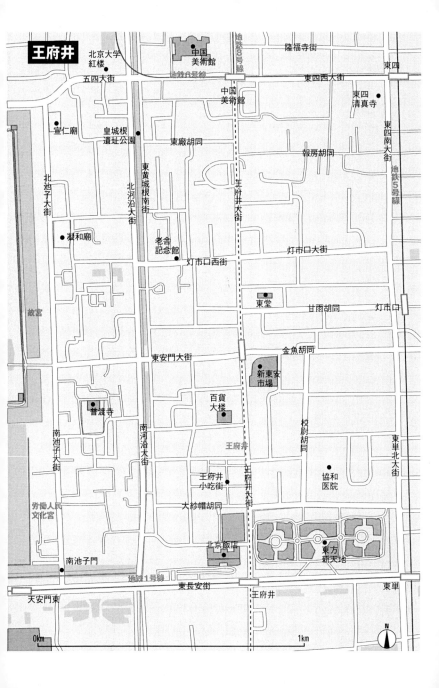

什刹海は北京の下町の雰囲気を残している(また中南海は中国政治の中心地として知られる)。

什刹海／什刹海★★☆
shí chà hǎi
シーチャーハイ

徳勝門から故宮に向かって流れる西海、後海、前海。かつてこのあたりには十の寺があったことから什刹海と呼ぶ。近くには明清時代、北京の街にときを告げた高さ45mの鼓楼、高さ47.9mの鐘楼が立つほか、長さ232mほどの短い路地の煙袋斜街、清朝第11代光緒帝、第12代宣統帝(溥儀)を輩出した名門醇親王の邸宅醇親王府(宋慶齢故居)、20世紀中国を代表する学者、作家の郭沫若が暮らした郭沫若故居、京劇の名優、梅蘭芳が晩年を過ごした住居の梅蘭芳記念館などが位置する。

胡同 (フートン) とは

故宮の周囲には胡同と呼ばれる路地がいくつも走り、そこでは清朝以来の街並みとともに、北京で暮らす庶民の生活が見られる(胡同という言葉はモンゴル語の「井戸」「集落」に由来する)。明代には459本、清代には978本の胡同があり、「すべての胡同をつなげれば、もうひとつの万里の長城になる」と言われるほどだった。現在、北京の都市開発が進み、胡同も大

★★★
天安門広場／天安门广场 tiān ān mén guǎng chǎng ティエンアンメングァンチャン
故宮博物院／故宫博物院 gù gōng bó wù yuàn グゥゴンボゥユアン
★★☆
王府井／王府井 wáng fǔ jǐng ワンフージン
什刹海／什刹海 shí chà hǎi シーチャーハイ
★☆☆
北海公園／北海公园 běi hǎi gōng yuán ベイハイゴンユゥエン
南鑼鼓巷／南锣鼓巷 nán luó gǔ xiàng ナンルゥオグゥシャン
雍和宮／雍和宫 yōng hé gōng ヨンハァゴン

古い胡同を利用した店舗が続く、南鑼鼓巷にて

四合院の壁に描かれたアート

北海公園にある仿膳飯荘、宮廷料理を今に伝える

王府井の百貨大楼、多くの人でにぎわっている

きく変貌しようとしている。

南鑼鼓巷／南锣鼓巷★☆☆
nán luó gǔ xiàng
ナンルゥオグゥシャン

　故宮の背後、元代から続くという古い通りの南鑼鼓巷。北京の街並み胡同が見られる全長787m、幅8mの通りの両脇にはカフェやバー、レストランが入居する。碁盤の目状の街区をもち、周囲にはこの南鑼鼓巷を軸に、いくつもの胡同が東西に走っている。

雍和宮／雍和宫★☆☆
yōng hé gōng
ヨンハァゴン

　安定門近くに立つチベット仏教寺院、雍和宮。清朝時代の1694年に建てられ、北京のチベット仏教の総本山となってきた。雍和宮という名前は第5代雍正帝の即位前の邸宅だったことにちなむ。

Wai Cheng
北京外城城市案内

**前門の南側に広がる北京外城は
漢族や庶民たちのにぎわいで知られた街
京劇や北京料理もここで発展した**

前門（正陽門）／前门★★☆
qián mén
チエンメン

　北京をつらぬく南北の軸線にあり、かつて紫禁城の表玄関にあたった前門。高さ42mの巨大な門は、満州族の旗人が暮らす内城と漢族の暮らす外城をわけ、この門の東西に城壁が続いていた。前門から南に伸びる前門大街は清代、北京随一の通りだったところで、北京ダックの「全聚徳」をはじめとする有名店がならぶ。また近くには清朝以来の歓楽街、大柵欄、天橋や胡同など趣きある街並みが残っている。

大柵欄／大柵栏★☆☆
dà shān lán
ダァシャンラン

　清代、北京外城でも屈指の繁栄を見せていた大柵欄。茶店の「張一元」、漢方薬の「同仁堂」、漬け物の「六必居」、時計の「亨得利鐘表店」、布製品の「瑞蚨祥」、布靴の「内聯昇」などの老舗がずらりとならぶ。「三慶園戯曲博物館」や「大観楼映画館」も位置し、ここは京劇、映画ゆかりの場所でもある。

北京外城

故宮

灯市口

地鉄5号線

王府井

東単

天安門西　　天安門東

地鉄1号線

西単

天安門
広場

王府井

北京駅

東交民巷

宣武門　和平門　　地鉄2号線　前門東大街

東交民巷

崇文門

前門

大柵欄

祈念大街

南新華街　瑠璃廠

橋湾

旧崇文区

磁器口

虎坊橋

旧宣武区

珠市口東大街

菜市口　　　地鉄7号線

珠市口

天壇路

天橋

天壇公園

祈念殿

天壇東門

天橋南大街

陶然亭

太平街

永定門公園

園丘

天壇東路

陶然亭
公園

永定門

地鉄14号線

永定門外

地鉄8号線

北京南駅

蒲黄楡

景泰

木樨園

劉家窯

南三環東路

0km　　　　　　　　　　　　　　　　　　　3km

前門

前門西大街

地鉄2号線

前門

前門
箭楼

老舎
茶館

交通銀行
旧址

前門西河沿街

塩業銀行
旧址

北京坊

地鉄8号線

正陽橋
(牌楼)

煤市街

北京坊

廊房頭条

球宝市街

廊房二条

前門大街

門框胡同

廊房三条

全聚徳

大柵欄

都一処

鮮魚口街

瑞蚨祥

大柵欄

亨得利
鐘表店

粮食店街

周仁堂

張一元

大観楼
映画館

内聯昇

三慶園
戯曲
博物館

六必居

0m

300m

N

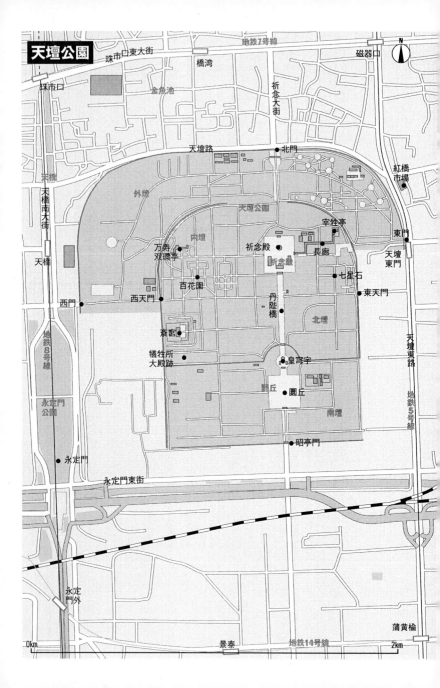

瑠璃廠／琉璃厂★★☆
liú lí chǎng
ルーリーチャン

　文房四宝や古書を扱う店がならぶ瑠璃廠。清代から文人が集ったところで、現在も清朝時代の面影を残す通りとなっている(清朝に仕えた文人が瑠璃廠に移るようになった)。瑠璃廠という名前は紫禁城で使う瑠璃瓦を焼く工房があったところからつけられた。

天壇公園／天坛公园★★★
tiān tan gōng yuán
ティエンタンゴンユェン

　北京の中心から南に位置する天壇公園は、皇帝が祭祀をとり行なったところで、祭祀場にあたった圜丘、円形プランに青の瑠璃瓦が載る祈念殿が見られる。中国では始皇帝の時代以前から「天の思想」があり、皇帝は天の代理者として祭祀を行ない、五穀豊穣、天下泰平を祈っていた。現在は世界遺産に指定され、さまざまな人々が訪れる公園として開放されている。

★★★
天安門広場／天安门广场 tiān ān mén guǎng chǎng ティエンアンメングァンチャン
故宮博物院／故宫博物院 gù gōng bó wù yuàn グゥゴンボゥウュアン
天壇公園／天坛公园 tiān tan gōng yuán ティエンタンゴンユェン
★★☆
王府井／王府井 wáng fǔ jǐng ワンフージン
前門(正陽門)／前门 qián mén チエンメン
瑠璃廠／琉璃厂 liú lí chǎng ルーリーチャン
★☆☆
大柵欄／大栅栏 dà shān lán ダァシャンラン

天とは

　中国のあらゆる祭祀のなかで、皇帝が天を祀る祭祀はもっとも重要だったもので、それは都の南で行なわれた（陰から陽に転ずる冬至がその日で、地の神への祭祀は北の地壇で行なわれた）。中国では災害や疫病、戦などあらゆるものが天の意思によると信じられ、国家や社会、道徳のありかたにも影響するなど3000年以上、最高の神格であり続けた。祭祀によって天と向かいあう皇帝は天子と見なされ、天の代理者（もしくは天そのもの）と考えられていた。

円型のプランをもつ天壇公園の祈年殿

清朝末期に開業した旧北京駅

大柵欄界隈では数々の老舗がならぶ

北京外城のメインストリート前門大街

北京新城城市案内

故宮を中心とした古い時代の北京に対して
市街東部の新市街は異なる表情を見せる
新たな北京のカルチャーがここで生まれている

国貿／国贸★☆☆
guó mào
グゥオマオ

　「中心業務地区(Central Business District)」をCBDと通称し、北京では市街東部朝陽区の中国国際貿易中心のある国貿一帯におかれている。長らく故宮を中心とする北京旧城のエリアが政治、経済、文化の中心地であったが、21世紀以後、それはこちらに遷っている。手狭になった中心部に対して、朝陽区では広大で、整然とした街区をもち、高さは528mの中国尊はじめ、高層建築群が摩天楼を描いている。

中国中央電視台／中国中央电视台★★☆
zhōng guó zhōng yāng diàn shì tái
チョングゥオチョンヤンディエンシィタイ

　北京のCBD地区に立つ高層ビル群のなかでも一際異彩を放ち、新しい北京のランドマーク的存在となっている中国中央電視台。中心が空洞となったねじれたチューブ状のかたちをしていて、6度の傾斜をもつ2つのタワーが頂部と地上部でつながっている(地上52階建ての高さ234mのタワーと、地上43階建て高さ194mのタワーが地上部と37階以上で連結している)。中国中央電視台は1958年に中国最初のテレビ局として設立され、ここから中国中央電視台の番組が中国各地に向かって

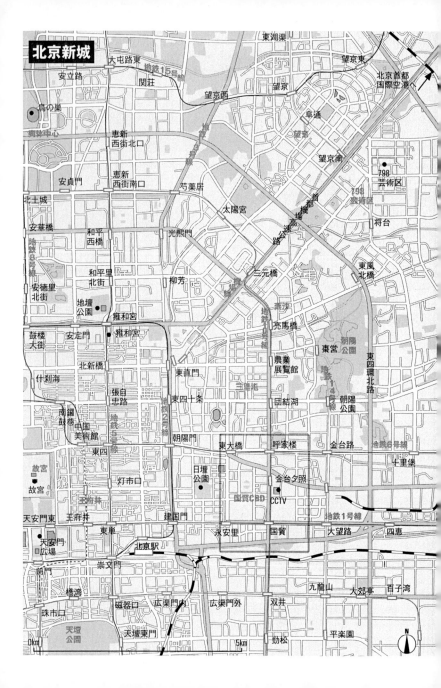

北京新城

東湖渠
望京東
北京首都
国際空港へ

大屯路東
安立路 地鉄15号線
関荘
望京西 望京
阜通
鳥の巣
恵新
西街北口
望京南
798
芸術区
国家体育中心
恵新
西街南口
芳草居
798
芸術区
安貞門
太陽宮
将台
北土城
安華橋
和平
西橋
光熙門
首都高速公路
三元橋
東風
北橋
地鉄8号線
和平里
北街
柳芳
亮馬橋
東四環北路
安徳里
北街
地壇
公園
雍和宮
棗営
朝陽
公園
鼓楼
大街
安定門
雍和宮
亮馬橋
東四環北路
北新橋
農業
展覧館
仕刹海
張自
忠路
東直門
三里屯
地鉄14号線
朝陽
公園
南鑼
鼓巷
中国
美術館
地鉄5号線
地鉄2号線
団結湖
東四
朝陽門
東大橋
呼家楼
金台路
地鉄6号線
灯市口
日壇
公園
金台夕照
十里堡
故宮
故宮
王府井
CCTV
国貿CBD
天安門東
王府井
建国門
永安里
国貿
大望路
四恵
地鉄1号線
東単
天安門
広場
北京駅
前門
崇文門
九龍山
大郊亭
百子湾
橋湾
磁器口
広渠門内
広渠門外
双井
珠市口
天壇
公園
天壇東門
勤松
平楽園

0km 5km

N

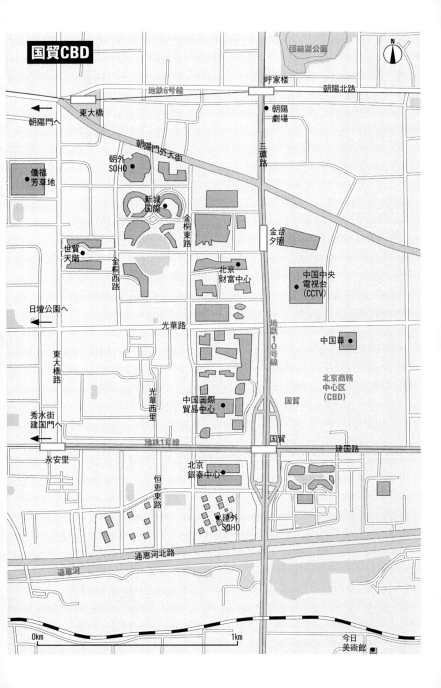

発信されている。また日本のNHKと『シルクロード』『大黄河』といった番組を共同制作したことでも知られる。

中国尊／中国尊★★☆
zhōng guó zūn
チョングゥオズゥン

　北京CBDにそびえ、この街の新たなランドマークとなっている超高層ビルの中国尊。地上108階、地下7階で、高さは528mになる。中国尊の「尊」とは古代中国の礼器のことで、口がらっぱ状に開いていることから、この建物も地上部と頂上部がラッパ状に広がり、真ん中がくびれた外観をもつ(また孔明灯にも似ている)。建物の設計は、中国の竹がイメージされ、竹のように節が連なり、上に伸びあがるようなたたずまいとなっている。2018年に竣工し、ビジネス拠点、国際会議の場所、商業施設、観光レジャーなどさまざまな性格をもつ。

中国尊をはじめ高層ビルが林立する北京CBD

三里屯ヴィレッジ、若者が行き交う

流線型の外観の建築、朝陽門にて

北京の現代アートを体感、798芸術区

三里屯／三里屯 ★★☆
sān lǐ tún
サンリィトゥン

　北京市街東の朝陽区に広がる三里屯。21世紀になって開発された三里屯太古里やSOHOなど複合施設が立つ。カフェやバーがならぶエリアで、「北京夜生活（ナイトライフ）」を楽しめる。

798芸術区／798艺术区 ★★☆
qī jiǔ bā yì shù qū
チィジュウバァイイシュウチィウ

　朝陽区の大山子地区にあり、現代アートのギャラリー、アトリエ、ショップ、カフェの集まる798芸術区。21世紀に入ったころから、中国人アーティストやデザイナーがアトリエを構えるようになり、今では北京有数の観光地へと変貌をとげた。1950年代、ソ連の援助、東ドイツの設計による国営電子部品工場の798工場があったことに由来する。

鳥の巣（北京国家体育場）／鸟巢 ★★☆
niǎo cháo
ニィアオチャオ

　故宮の北、北京をつらぬく軸線上に建てられた北京国家体育場。そのデザインから「鳥の巣」の愛称をもち（ヘルツォーク・ド・ムーロンによる設計）、4万4000トンもの鉄骨が使用されている。2008年に行なわれた北京オリンピックのメインスタジアムだったところで、すぐ近くに「水立方」こと国家水泳センターも立つ。

Xi Shan

北京西山城市案内

**美しい山水が点在する西山
なかでも清朝のサマーパレス頤和園は
西太后ゆかりの離宮として知られた**

頤和園／颐和园★★★
yí hé yuán
イィハァユェン

「西山」と総称される北京北西は風光明媚の地と知られ、清朝時代、頤和園には離宮がおかれていた。この庭園は万寿山の地形を利用して造営され、昆明湖にのぞむように宮殿がならび、中央には仏香閣がそびえている。北京に都があった金(12世紀)の時代から名勝の地とされていたが、清代になって第6代乾隆帝によって整備され、その後、奢侈をきわめた西太后が1年の大半をここで過ごすようになった。アロー号事件、日清戦争、義和団の乱という清朝末期の激動の時代にあって、西太后によって巨額の財を投じて建てられた宮殿群が美しい山水と調和するように残っている。

絶大な権力をほこった西太后

清朝末期の第9代咸豊帝、第10代同治帝、第11代光緒帝時代に半世紀にわたって絶大な権力をふるった西太后(紫禁城の西六宮に暮らしていたことからこの名前がつけられた)。咸豊帝の妃として頭角をあらわし、光緒帝の時代に垂簾聴政を行なうなど、中国の歴史のなかでも女性が権力をにぎっ

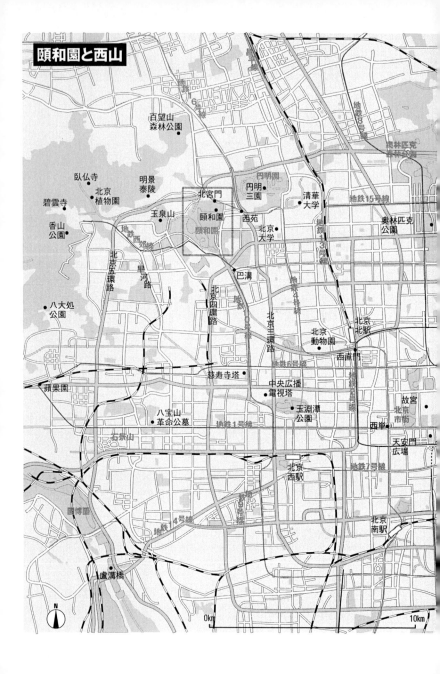

頤和園と西山

地鉄16号線

百望山
森林公園

臥仏寺　　明景
北京　　　泰陵
植物園

碧雲寺

香山
公園

玉泉山

地鉄西郊線

北宮門

頤和園

頤和園

西苑

円明園
円明
三園

清華
大学

地鉄15号線

奥林匹克
森林公園

地鉄13号線

北京
大学

奥林匹克
公園

北京五環路

皂河路

八大処
公園

地鉄1号線

北京四環路

地鉄8号線

巴溝

地鉄10号線

北京三環路

北京
動物園

北京
北駅

西直門

蘋果園

慈寿寺塔

中央広播
電視塔

玉淵潭
公園

地鉄6号線

地鉄2号線

故宮

北京
市街

八宝山
革命公墓

地鉄1号線

石景山

西単

天安門
広場

地鉄7号線

北京
西駅

地鉄9号線

地鉄14号線

園博園

地鉄4号線

北京
南駅

盧溝橋

N

0km　　　　　　　　　　10km

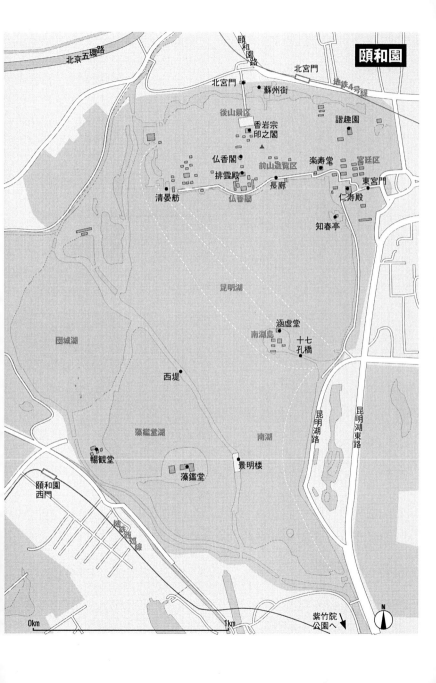

颐和園

北京五環路
颐和園路
北宮門
地鉄4号線

北宮門
蘇州街
後山景区
香岩宗
印之園
諧趣園

仏香閣
排雲殿
前山遊覧区
楽寿堂
富廷区
東宮門

清晏舫
仏香閣
長廊
仁寿殿

知春亭

昆明湖

涵虚堂
南湖島
十七
孔橋

団城湖

西堤

昆明湖路
昆明湖東路

藻鑑堂湖
南湖

暢観堂

藻鑑堂
景明楼

颐和園
西門

地鉄西郊線

0km
1km

紫竹院
公園へ

N

た稀有な例として漢代の呂后や唐代の則天武后とくらべられる。西太后の食卓には100皿もの料理(満漢全席)がならんだと言われ、頤和園の昆明湖に船を浮かべたり、観劇を愉しむなどその生活は奢侈をきわめた(日清戦争のとき、北洋艦隊の軍事費を頤和園整備に流用したと言われる)。

★★★
頤和園／颐和园 yí hé yuán イィハァユェン
天安門広場／天安门广场 tiān ān mén guǎng chǎng ティエンアンメングァンチャン
故宮博物院／故宫博物院 gù gōng bó wù yuàn グゥゴォンボゥウユァン

★☆☆
盧溝橋／卢沟桥 lú gōu qiáo ルゥゴウチャオ

仏香閣、頤和園にあって一際目立つ

仁寿殿を守護する神獣

頤和園の昆明湖、西太后が船を浮かべたという

国家財政をかたむけるほど、贅のかぎりを尽くしてつくられた

清朝が残した中国文化

長袍を身にまとった辮髪の中国人のイメージ
清朝は北京に大きな足跡を残すことになった
現在の中国の領土もまた清朝のそれを受け継いでいる

普通話 (北京官話)

　中国の公用語「普通話」は清朝時代の北京で話されていた北京官話をもとに成立した。満州族による清朝が樹立された17世紀、当時の北京の言葉と満州語が交わって形成され、紫禁城をはじめとする公的な場で官吏などに話されていたことから北京官話と呼ばれるようになった。また中華人民共和国成立後、漢字の表記は香港や台湾で使われる繁体字、日本の漢字ではなく、「へん」や「つくり」が簡略された簡体字がもちいられている（たとえば天壇公園は、天坛公园）。

チャイナ・ドレス (旗袍)

　襟が立ち、美しいシルエットをもつチャイナ・ドレス。もともとこの服装は満州旗人の女性が着る服装だったもので、旗袍(チーパオ)と呼ばれていた。20世紀になって中華民国時代に入ると、清朝貴婦人の服装が着られるようになり、それが一般の女性にも流行した。やがて身体のラインが強調されるなど洗練が進み、中国女性の代表的な服装として定着した。中国では歴史的に王朝の交替とともに、暦が替わり、また服装が替わる易服が行なわれてきた。

宮廷に仕えた満州族の衣装

美しい衣装が見られる京劇、北京名物のひとつ

北京ダック、外はパリパリ、なかはやわらかい

京劇

　甲高い歌声と音楽の伴奏、華麗な衣装や隈取などの化粧で知られる京劇は、清朝時代に北京で育まれた。もともと安徽省や湖北省の地方劇団が、皇帝に献上するために上京して芝居をし、そのまま北京に居続けたことで大成された。「戯迷」という言葉もあるほど中国人の芝居好きは有名で、西太后などの宮廷の人々や観劇好きの北京人に観られることで京劇は洗練されていったと言われる。

辮髪

　一部を残して髪を剃りあげ、残りの髪を結う辮髪は満州族の伝統的な頭髪スタイルで、清朝時代は原則すべての男子がこの髪型をしていた。辮髪は古来、北方民族のあいだで行なわれてきたもので、清朝がはじめて北京に入城したときは漢族の抵抗を受けたが、やがて300年の統治期間で中国でも定着していった。のちに満州族の清朝を打倒した孫文らの革命家は「辮髪を切ること」を象徴的行為とし、1912年に辛亥革命が起こると人々は辮髪を切り落とすようになった。当時の様子は魯迅の小説『阿Q正伝』にも描かれている。

清代、前門の内側（内城）に満州族、外側（外城）に漢族が暮らした

Around Beijing
北京郊外城市案内

中国北方を東西につらぬく万里の長城
明の皇帝たちが眠る陵墓
北京郊外に位置する世界遺産へ足を伸ばす

明十三陵／明十三陵★★★
míng shí sān líng
ミンシィサンリン

　15世紀、明朝第3代永楽帝の時代に南京から北京に遷都され、以来、明清時代を通じて北京に都がおかれるようになった。明の皇帝が眠る十三陵は、北京市街から北西に50km離れた昌平にあり、北、西、東の三方向を山に囲まれ、周囲40kmの広大な敷地に広がっている。第3代永楽帝から最後の第17代崇禎帝へと続く14人の皇帝のうち、第7代景泰帝をのぞく13人の皇帝の陵墓が残り、明の十三陵として世界遺産に指定されている（初代洪武帝の陵墓は南京にある）。この明十三陵は石牌坊から、大紅門、神功聖徳碑亭、石像生（獅子、獬豸、駱駝、象、麒麟、馬、武官、文官、勲臣）、櫺星門という神道を通って、長陵へといたる。

長陵／长陵★★☆
cháng líng
チャンリン

　明の第3代永楽帝（廟号成祖、在位1402～24年）は北京に遷都し、紫禁城（故宮）を造営するなど、明朝の礎をつくった皇帝。長城を越えて5度のモンゴル遠征を行ない、鄭和を南海に派遣するなど、中国歴代皇帝でも屈指の勇敢な行動、政策を

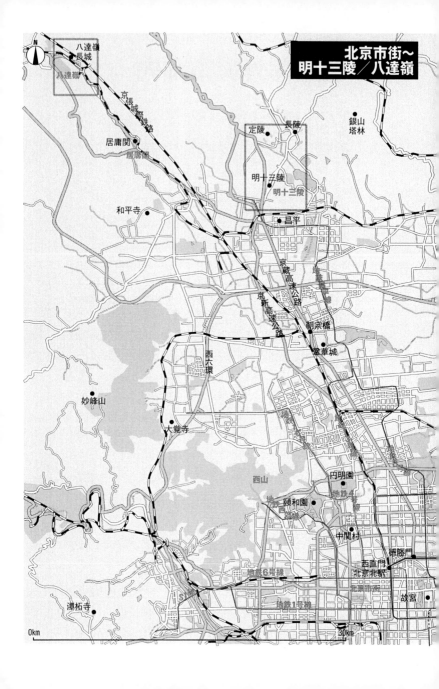

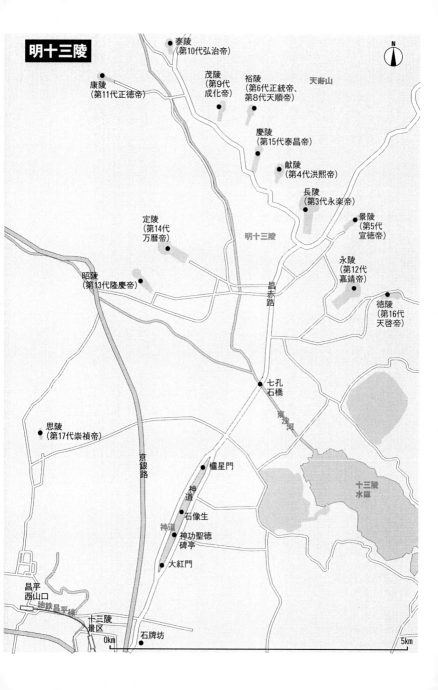

明十三陵

泰陵
(第10代弘治帝)

康陵
(第11代正徳帝)

茂陵
(第9代
成化帝)

裕陵
(第6代正統帝、
第8代天順帝)

天寿山

慶陵
(第15代泰昌帝)

献陵
(第4代洪熙帝)

長陵
(第3代永楽帝)

景陵
(第5代
宣徳帝)

定陵
(第14代
万暦帝)

明十三陵

永陵
(第12代
嘉靖帝)

昭陵
(第13代隆慶帝)

昌亦路

徳陵
(第16代
天啓帝)

七孔
石橋

東沙河

思陵
(第17代崇禎帝)

京銀路

欞星門

神道

石像生

神道

神功聖徳
碑亭

十三陵
水庫

大紅門

昌平
西山口

地鉄昌平線

十三陵
景区

石牌坊

0km

5km

N

とったことでも知られる。長陵では、稜恩門、稜恩殿から明楼、宝頂と四合院様式の空間が奥へ連なっていき、この様式は明清時代の皇帝陵墓すべてで共通して見られる。1415年に完成し、最奥の宝頂の地下に、永楽帝が眠る。

定陵／定陵★★☆
dìng líng
ディンリン

　第14代万暦帝(廟号神宗、在位1572〜1620年)が眠る定陵は、6年の歳月、800万両の銀、3万人という職人の動員によって、1590年に完成した。万暦帝とふたりの皇后が埋葬された地下宮殿が残っていて、前殿、中殿、後殿が中軸線上にならぶ(地下20mの深さに全長88m、高さ7mの地下宮殿が造営され、柱がなく、天井は石のアーチで支えられている)。万暦帝の時代は農民が疲弊し、黄河が決壊するなど混乱が続き、くわえて万暦の三大遠征(ひとつは豊臣秀吉の朝鮮遠征に対する)が行なわれた。定陵の造営は、国の財政をかたむけ、この時代に明の滅亡がはじまったと言われる。

★★★
明十三陵／明十三陵 míng shí sān líng ミンシィサンリン
八達嶺長城／八达岭长城 bā dá lǐng cháng chéng バァダァリンチャンチャン
故宮博院／故宫博物院 gù gōng bó wù yuàn グゥゴオンボゥウユアン
頤和園／颐和园 yí hé yuán イィハァユェン

★★☆
長陵／长陵 cháng líng チャンリン
定陵／定陵 dìng líng ディンリン

★☆☆
居庸関／居庸关 jū yōng guān ジュウヨンガァン

明最後の崇禎帝は故宮北の景山で自殺をはかった

明の第3代永楽帝、都を北京に遷した

マルコ・ポーロが『東方見聞録』に記した盧溝橋

明の13人の皇帝が眠る明十三陵

牌坊、ここから長陵に向かって神道が伸びる

農耕世界と遊牧世界をわけるように城壁が走る

八達嶺長城

N

八達嶺索道

山麓駅 ————— 八達嶺索道 ————— 山頂駅 ・北八楼

北七楼

□ 北六楼

八達嶺
● 長城駅

京張城際鉄路

北五楼

北九楼
□ 北十楼

詹天佑
紀念館

□ 北四楼

坂

山麓駅

長城
博物館

北三楼
（敵楼）

八達嶺長城
（万里の長城）

北二楼

北一楼

北一楼

入口

青龍橋駅

南一楼

省道216

地面纜車

南二楼
（敵楼）

南三楼
（敵楼）

八達嶺隧道

京蔵高速公路

山頂駅

南四楼

男坂

八達嶺長城へ

南五楼

南六楼

八達嶺野生
動物世界

青龍橋隧道

南七楼

0km ————————————— 1km

居庸関
北京へ

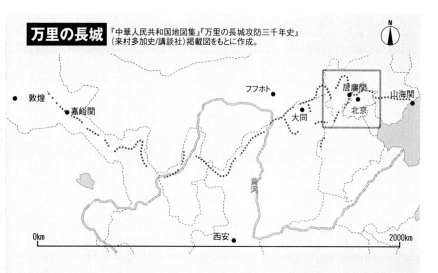

万里の長城

『中華人民共和国地図集』『万里の長城攻防三千史』
(来村多加史/講談社)掲載図をもとに作成。

N

敦煌

嘉峪関

フフホト

居庸関

北京

大同

山海関

黄河

西安

0km   2000km

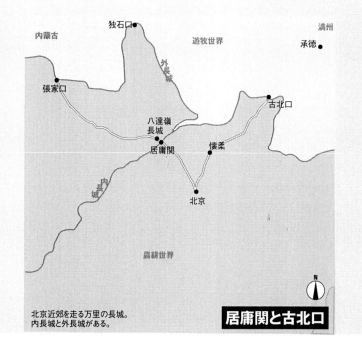

独石口

内蒙古

遊牧世界

満州

承徳

外長城

張家口

古北口

八達嶺長城

居庸関

懐柔

内長城

北京

農耕世界

N

北京近郊を走る万里の長城。
内長城と外長城がある。

居庸関と古北口

万里の長城／万里长城★★★
wàn lǐ cháng chéng
ワンリィチァンチャン

　渤海沿岸の山海関(渤海湾岸)から北京、大同をへて甘粛省の嘉峪関まで2700km以上続く万里の長城。紀元前7世紀の春秋戦国時代から北方の騎馬民族の侵入をふせぐために造営がはじまり、紀元前221年に中国を統一した秦の始皇帝がそれらをつなげて整備した。現在、北京郊外で見られるものは明代のもので、黄土を固めた版築の方法でつくられ、高さ9mほど。この万里の長城は人類史上最大の建造物と言われ、世界遺産にも指定されている。

八達嶺長城／八达岭长城★★★
bā dá lǐng cháng chéng
バァダァリンチァンチャン

　北京防衛の要であった居庸関の外鎮にあたり、「京北第一屏障」と呼ばれた八達嶺長城。対モンゴル対策として、明代の1506年に建造され、八達嶺の尾根上を長城が走っていく。この八達嶺長城の高さは平均7.8m、幅6.8m(頂部5.8m)、全長3741mとなり、関城から外側に向かって北は北一楼、北二楼、北三楼、北四楼、南は南一楼、南二楼、南三楼、南四楼というように一定間隔で楼がおかれている。ほぼ完全な姿を残していることから、八達嶺長城はもっとも有名な万里の長城にあげられ、毛沢東の言葉『不到長城非好漢(長城に到らざれば好漢にあらず)』の碑も残る。

★★★
万里の長城／万里长城 wàn lǐ cháng chéngワンリィチァンチャン
八達嶺長城／八达岭长城 bā dá lǐng cháng chéngバァダァリンチァンチャン

八達嶺長城は首都防衛のための居庸外鎮にあたった

どこまでも続く万里の長城

北京原人がここで暮らした、周口店北京原人遺跡

雪景色の長城、四季とともにさまざまな顔を見せる

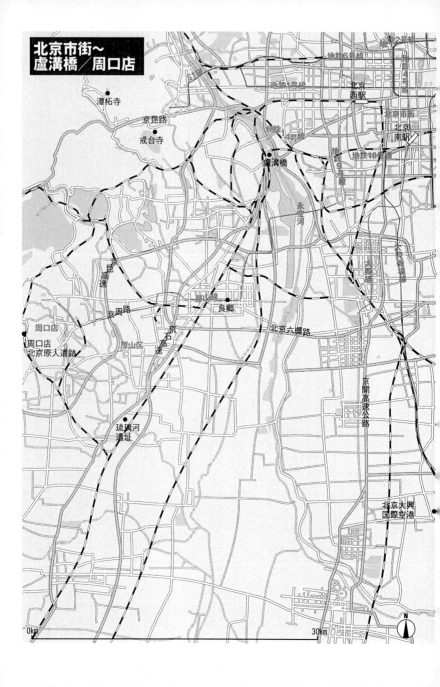

北京市街〜
盧溝橋/周口店

潭柘寺
京昆路
戒台寺

盧溝橋

永定河

地鉄6号線
地鉄1号線
北京西駅
北京市街
北京南駅
地鉄9号線
地鉄10号線

昆高速
京周路
良郷
北京六環路

周口店
周口店
北京原人遺跡
房山区

琉璃河
遺址

京開高速公路

北京大興
国際空港

0km
30km

N

南北の対決

4000年と言われる歴史にあって、中国では始皇帝の時代から北方の騎馬民族と南方の農耕民族の争いが続いてきた。万里の長城をつくって北方の遊牧国家匈奴と相対した始皇帝の秦、また北元(モンゴル族)から領土を守るために万里の長城を整備した明というように、万里の長城は両者の折衝点となってきた。始皇帝時代の万里の長城は、八達嶺長城よりもさらに北に位置し、万里の長城で警備にあたる兵士は、侵入者を確認すると狼煙をあげて味方に伝えるといった方法がとられていた。隋唐(鮮卑族による王朝とされる)や元(モンゴル族)、清(満州族)などが漢族とは異なる北方を出自とする中国王朝で、いくつもの民族が混血するなかで現在の漢民族が形づくられた。

居庸関／居庸关★☆☆
jū yōng guān
ジュウヨンガァン

北京とモンゴルを結ぶ街道上にもうけられた関所の居庸関。「天下第一雄関」の額がかかり、明代、ここが首都防衛の第一の要衝であった。元代の1345年に建てられた雲台、城隍廟、馬神廟、真武廟といった寺廟群が残り、居庸関から外側の地形にあわせて居庸関長城が伸びていく。

盧溝橋／卢沟桥★☆☆
lú gōu qiáo
ルゥゴウチャオ

北京中心部から南西に15km、永定河にかかる盧溝橋。長さ266.5m、幅9.3mの橋は漢白玉製で、美しい11のアーチ式橋

★☆☆
盧溝橋／卢沟桥 lú gōu qiáo ルゥゴウチャオ
周口店北京原人遺跡／周口店北京人遗址 zhōu kǒu diàn běi jīng rén yí zhǐ チョウコウディエンベイジンレンイィチィ

脚をもつ。元の時代、フビライ・ハンの宮廷を訪れたマルコ・ポーロが「全く世界中どこを捜しても匹敵するものはないほどのみごとさ」と『東方見聞録』のなかで紹介したことから、ヨーロッパではマルコ・ポーロ・ブリッジと呼ばれている。また1937年に夜間演習をしていた日本軍と中国軍とのあいだに起こった銃撃戦(盧溝橋事件)がきっかけで日中戦争に突入した歴史がある。

周口店北京原人遺跡／周口店北京人遺址★☆☆
zhōu kǒu diàn běi jīng rén yí zhǐ
チョウコウディエンベイジンレンイィチィ

　北京市街から南西50kmに位置する周口店北京原人遺跡。このあたりの竜骨山一帯にあった洞窟から、70万年~20万年前に生きた40体以上の北京原人の化石が見つかった。北京原人は「現生人類とは異なる人類進化形態のひとつ」である原人に分類され、堆積物から鹿や獣を食し、火を使っていたことがわかっている(直立二足歩行をしていた)。数十万年続いた期間の長さや発掘品の豊富さなどから古代人類を知る貴重な手がかりとなっており、1987年、世界遺産に登録された。

竜骨からの発見

　北京原人の発見のきっかけになった化石は、竜骨と呼ばれ、中国では漢方薬の材料として古くから重宝されていた(象やサイ、鹿、牛、馬、羊、豚などの骨)。スウェーデン人学者アンダーソンは、地元住民の案内で周口店の地を訪れ、は乳類の化石が出土することを知り、1926年、古代人類の歯らしいものを発見したと発表した。それを受けて北京原人の発掘がはじまり、その過程で、今から1万年前の山頂洞人の存在も確認され、北京の地で人類の活動が70万年前から長期にわたって続いていたことがわかった。

Utsuri Kawari

城市のうつりかわり

北と南、騎馬民族と農耕民族が覇を競い
皇帝が君臨した明清時代をへて
北京は現代中国の顔とも言うべき政治の都となっている

中原から遠く離れて（古代から隋唐、〜10世紀）

　70〜50万年前に生きた北京原人の存在が確認されるなど、人類黎明期から足跡が見られる北京の地。古く「燕」と呼ばれたこの街が歴史に現れるのは周代のことで、紀元前1050年ごろ殷を破った周の東征過程で、功臣の召公奭が燕王として北京の地に封建された（周はその一族や有力者を各地に封建した）。周の勢力が弱まり春秋戦国時代（紀元前722〜前221年）に入ると、燕は戦国七雄の一角として登場し、やがて始皇帝の支配下に入った。その後の隋唐時代には幽州と呼ばれ、運河の北端にあることや高句麗遠征の拠点となったことなどから、黄河中流域から東北、朝鮮半島にいたる要衝となっていた。また都長安（西安）と離れていたため、この地域の独自性は強く、唐代、安史の乱（755〜763年）を起こした安禄山が燕に拠点を構えていた。

征服王朝中原をうかがう（遼、金、元、10〜14世紀）

　907年、唐が滅ぶと中国は混乱の時代（五代十国）に入り、北京をふくむ燕雲十六州は北方の騎馬民族、遼の領土となった（南方の宋と対峙した）。その後も北京は、万里の長城以北を出自とする遼、金、元といった北方民族による中原をのぞむ足

がかりとなる都がおかれるようになった。こうした遊牧民族は漢族の優れた文化を積極的にとりいれたが、とくに元のフビライ・ハンは1263年、北方の草原と南の農耕地帯がまじわる北京の地に都をつくることを決めた。この大都は長さ30kmの城壁で囲まれた広大な規模をもち、街の中心は今の北海公園にあった。この都の道路網などは現在の北京と重なり、そのうえに明清時代の街がつくられた。

紫禁城と皇帝の都 （明清、15〜20世紀）

　14世紀なかごろ、モンゴル族の支配に対して、各地で反乱が起こるようになり、1368年、朱元璋は漢族による明を樹立してその都は南京におかれた。第3代永楽帝は北京に遷都し、北京は以後、1912年まで皇帝が暮らす都となった(紫禁城、天壇、胡同などの構成はこの時代に由来する)。明末期、農民反乱が続き、1644年、その軍が北京にせまると明の崇禎帝は紫禁城北の景山で自殺した。これに代わって紫禁城に入ったのが満州族の清で、第4代康熙帝、第5代雍正帝、第6代乾隆帝と清朝の黄金時代が続いた。清朝末期になると、西太后が皇帝に代わって絶大な権力をふるったが、やがて日清戦争、義和団事件などをへて、1911年の辛亥革命で清朝の歴史は幕を閉じた。中国最後の皇帝となった宣統帝はラスト・エンペラーと呼ばれている。

近代から現代へ （中華民国、中華人民共和国、20世紀〜）

　1912年、清朝滅亡後の北京は中国各地に割拠する軍閥の争奪の的となり、中国の権益獲得を目指す日本も北京へと進出した。こうしたなか辛亥革命の孫文の意思を受けた蒋介石が南京から北伐を開始し、1928年、北京はその影響下に入って北平と改称された。こうしたなか1937年、北京南西の盧溝橋近くに駐屯していた日本軍と中国軍のあいだで

夜ライトアップされた天安門

四合院と呼ばれる北京の伝統的な住宅

鳳凰の図像は皇后を意味する

日中戦争がはじまり、以後、日本と中国は泥沼の戦争へと突入する（このような時代、中国共産党は上海で結成された）。1945年の日本敗戦後、国共内戦が激化し、やがて中国共産党による中華人民共和国が1949年に成立し、北京はその首都となった。現在、北京は東アジアの大国、中国の政治、外交の中心地となっていて、中国全土から優秀な人材が集まり、その存在感を増し続けている。

北京ダックの老舗、全聚徳

『北京』(竹内実/文藝春秋)

『北京案内記』(安藤更生/新民印書館)

『紫禁城』(入江曜子/岩波書店)

『北京都市空間を読む』(陣内秀信ほか編/鹿島出版会)

『新中国の旅1』(講談社)

『中国の歴史散歩1』(山口修/山川出版社)

『中国世界遺産の旅』(石橋崇雄/講談社)

『大いなる都 巨大国家の遺産』(NHK取材班編/角川書店)

『世界大百科事典』(平凡社)

北京観光の公式サイト・北京旅行網http://japan.visitbeijing.com.cn/

[PDF]北京空港案内http://machigotopub.com/pdf/beijingairport.pdf

[PDF]北京地下鉄路線図http://machigotopub.com/pdf/beijingmetro.pdf

はじめての北京／ニーハオ！北京

まちごとパブリッシングの旅行ガイド

Machigoto INDIA , Machigoto ASIA , Machigoto CHINA

重慶-まちごとチャイナ

Juo-Mujin (電子書籍のみ)

香港-まちごとチャイナ

自力旅游中国Tabisuru CHINA

マカオ-まちごとチャイナ

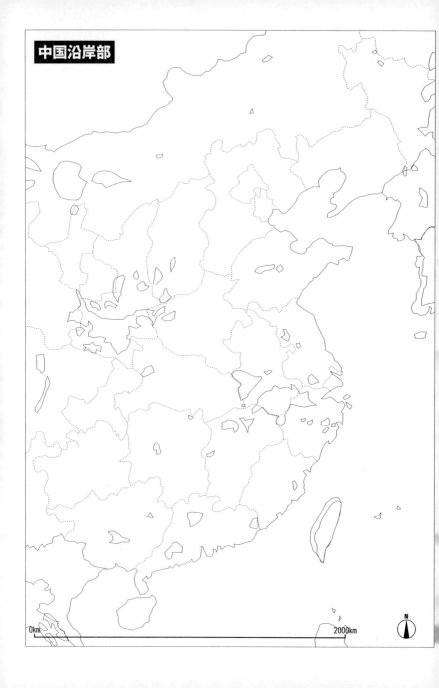

中国沿岸部

0km 2000km

N

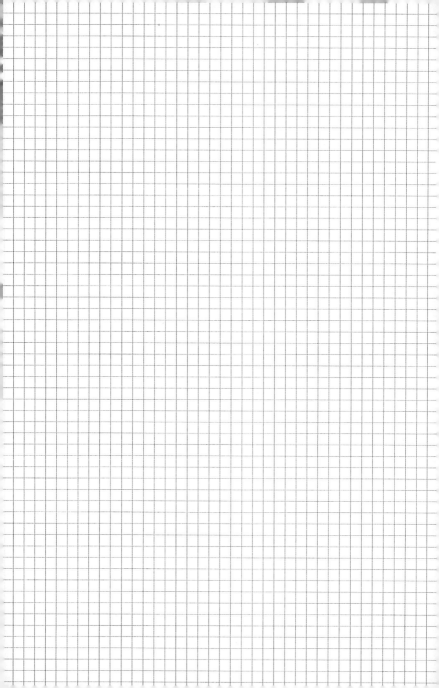

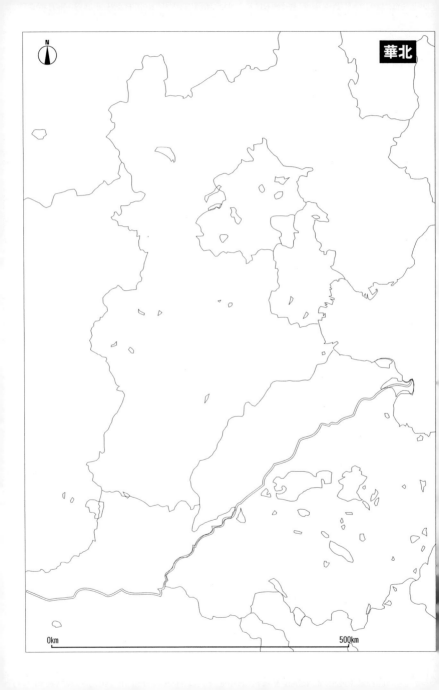

華北

0km　　　　　　　　　　　　　　　　　500km

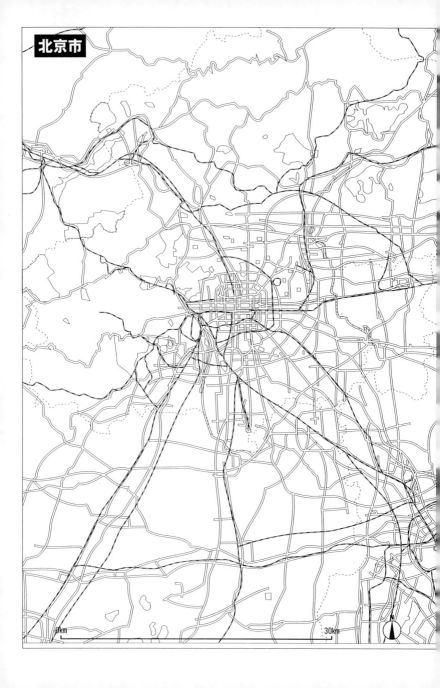

北京市

0km　　　　　　　　　　　　30km

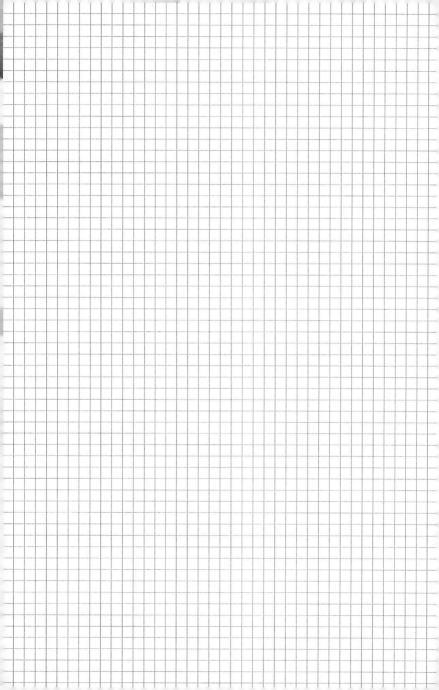

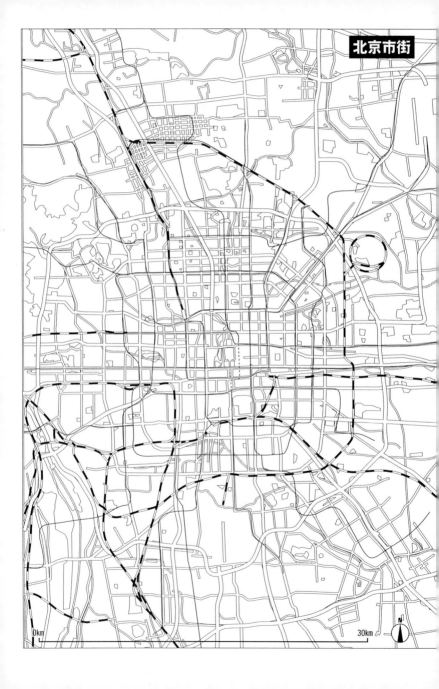

北京市街

0km   30km

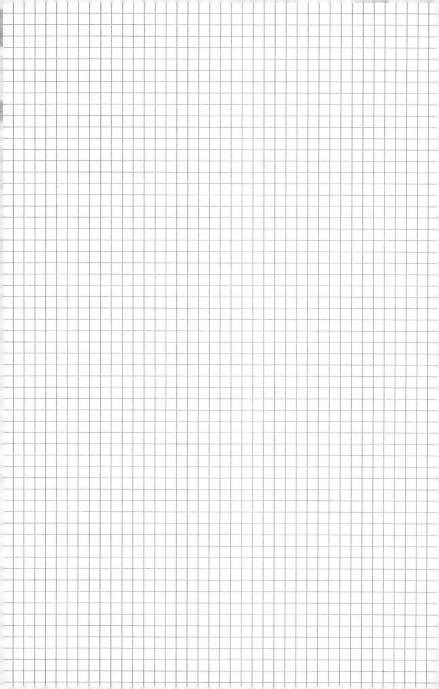

北京中心部

0km　　　　　　　　　　　　　　　　　3km

N

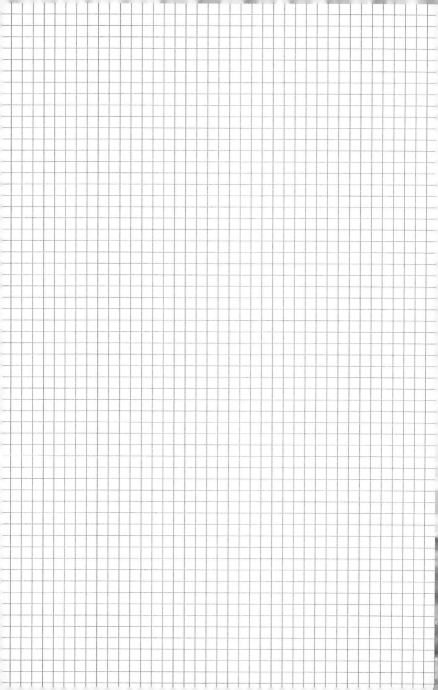

天安門広場

0km   1km

N

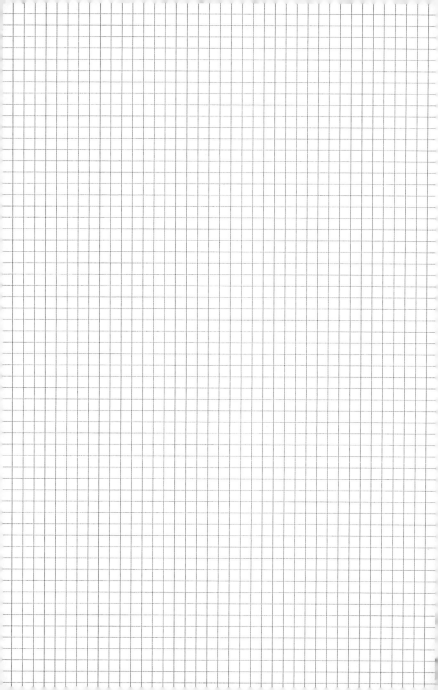

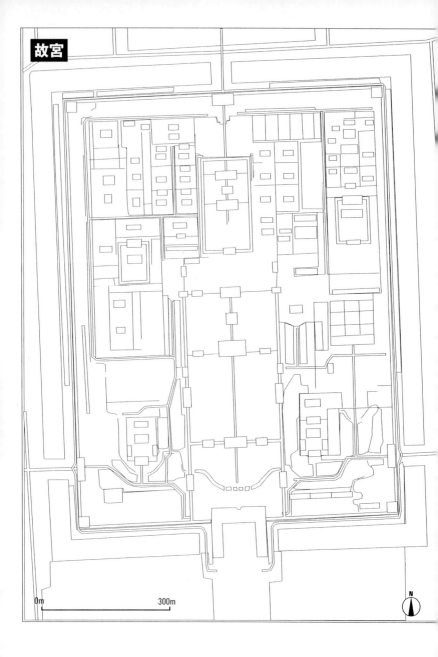

故宮

0m   300m

N

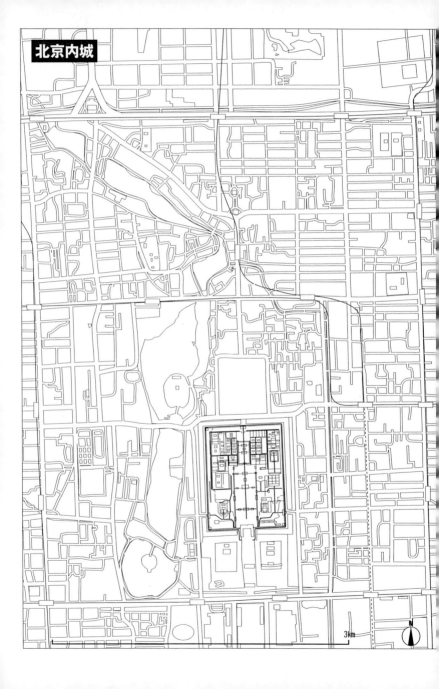

北京内城

3km

N

王府井

0km   1km

N

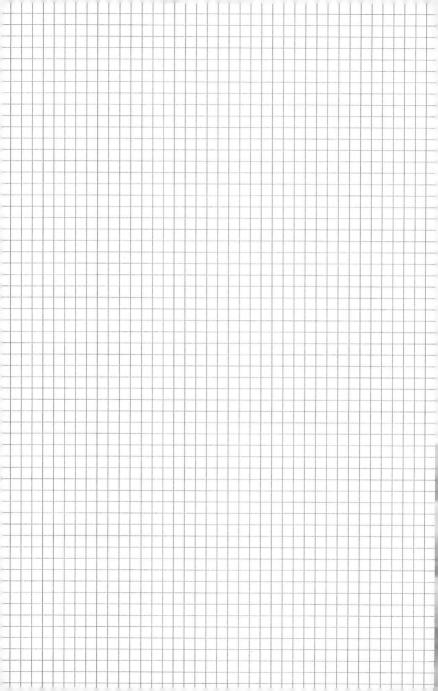

北京外城

N

0km   3km

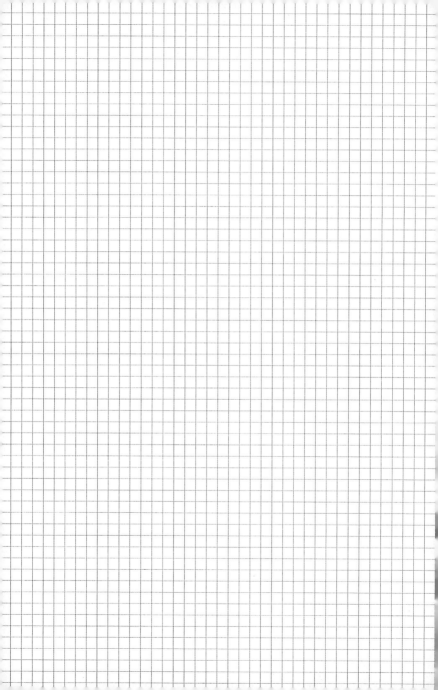

0m   300m

N

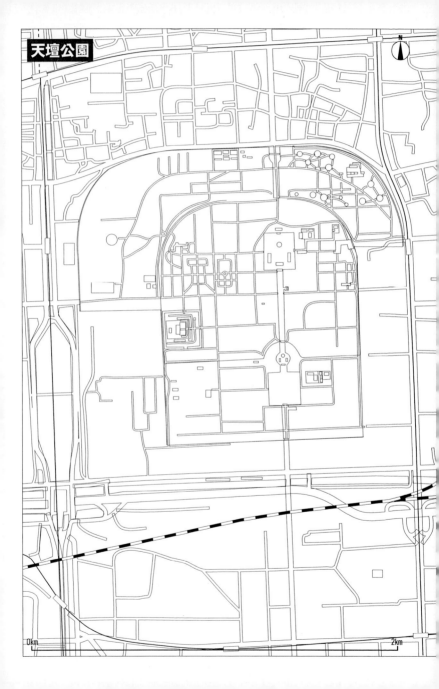

天壇公園

N

0km   2km

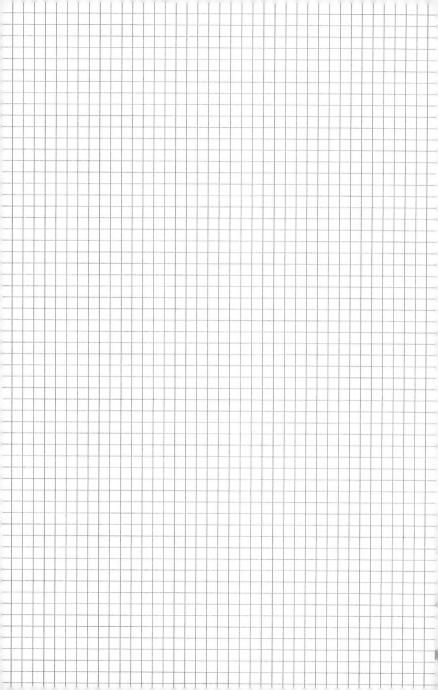

北京新城

0km　　　　　　　5km

N

国賀CBD

N

0km   1km

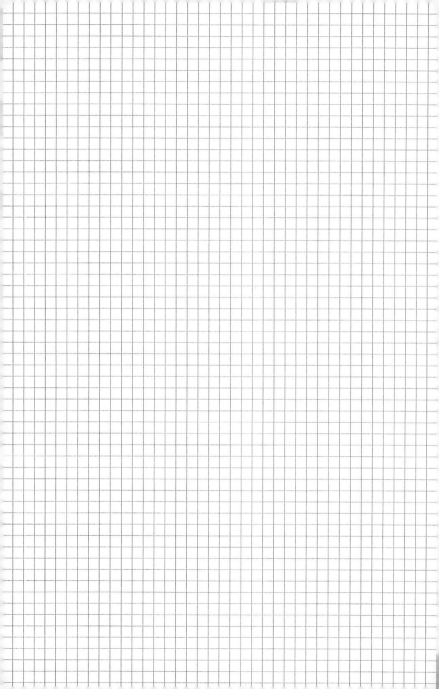

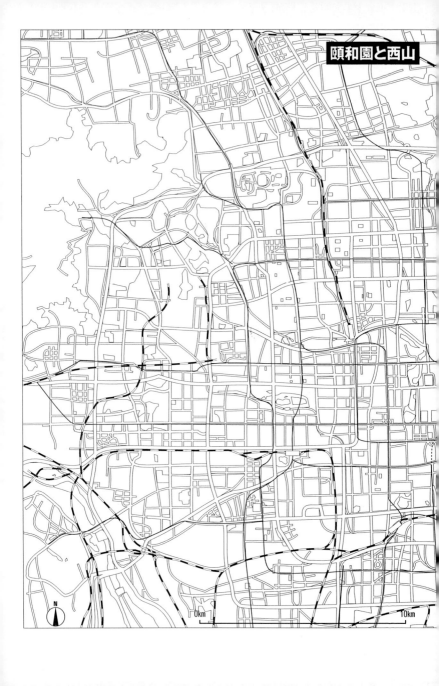

頤和園と西山

N

0km   10km

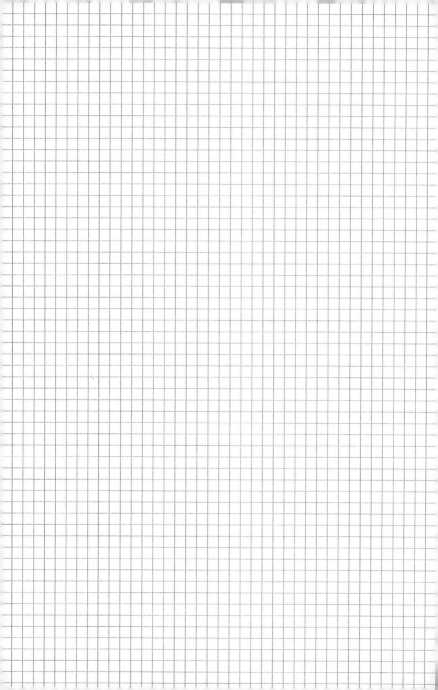

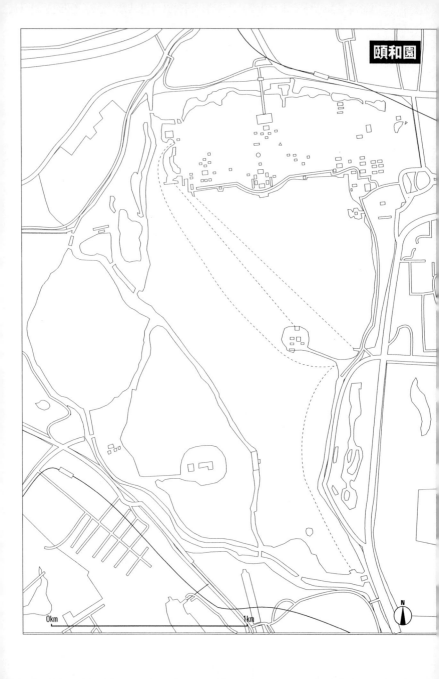

頤和園

0km   1km

N

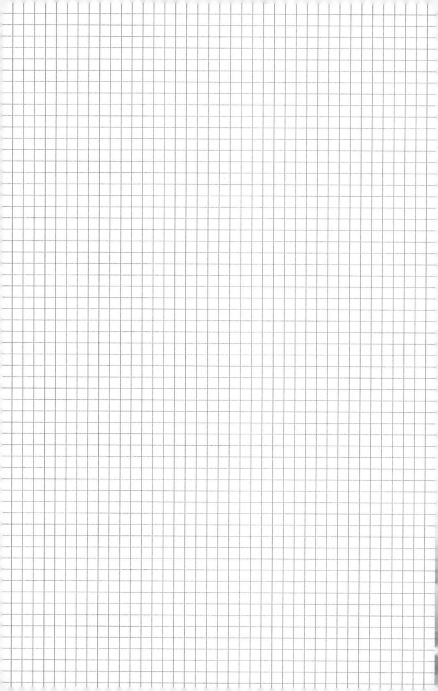

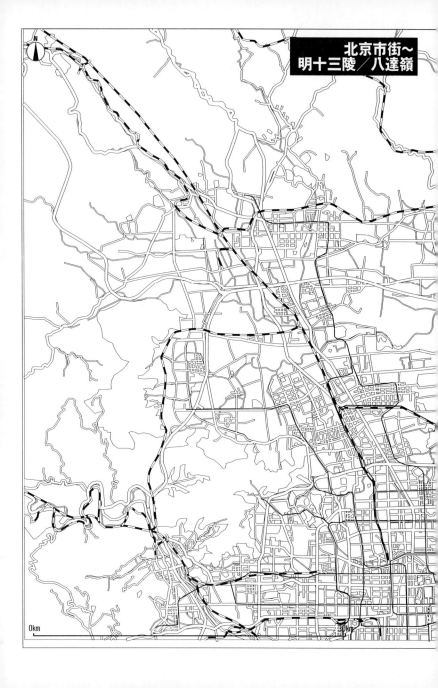

北京市街〜
明十三陵／八達嶺

0km   30km

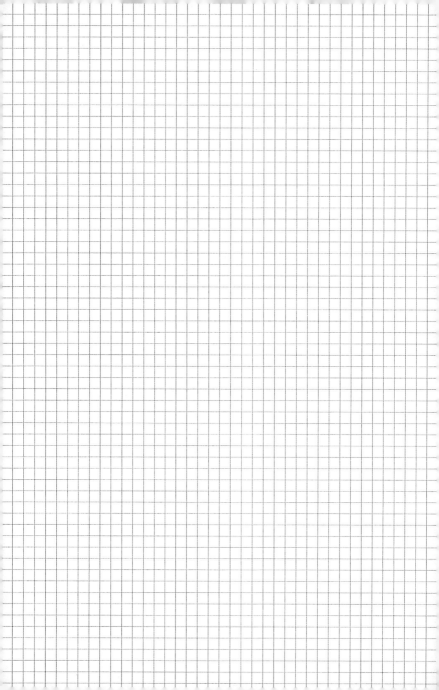

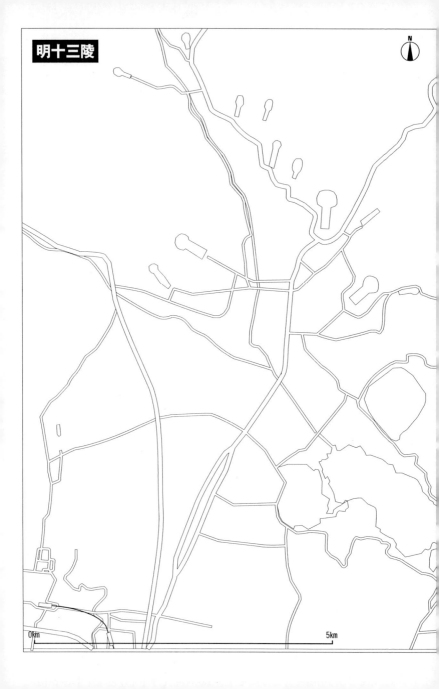

明十三陵

N

0km   5km

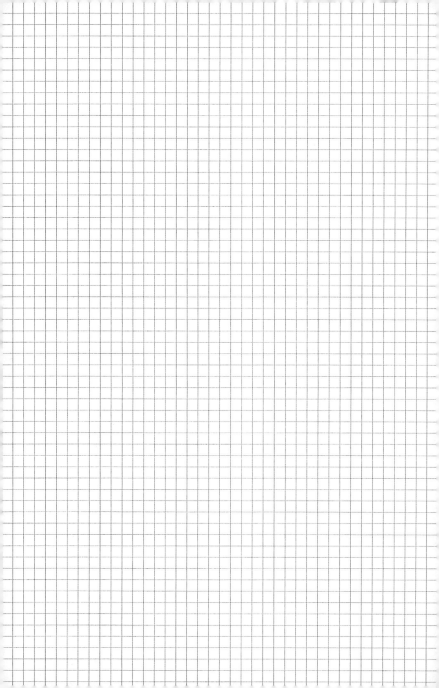

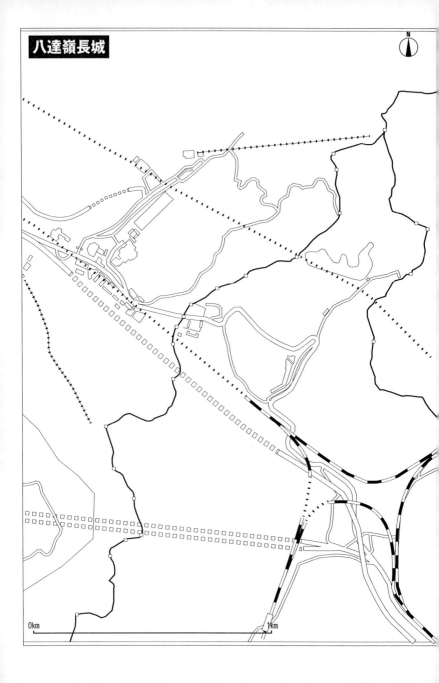

八達嶺長城

N

0km　　　　　　　　　　　　　　　1km

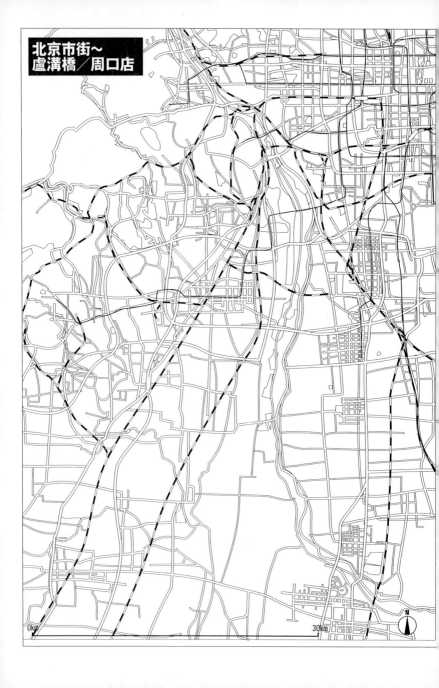

北京市街〜
盧溝橋／周口店

0km   30km   N

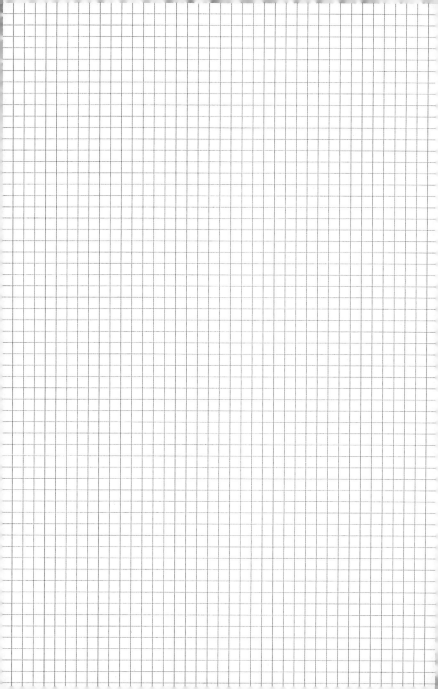

【車輪はつばさ】

南インドのアイラヴァテシュワラ寺院には
建築本体に車輪がついていて
寺院に乗った神さまが
人びとの想いを運ぶと言います

An amazing stone wheel of the Airavatesvara Temple
in the town of Darasuram, near Kumbakonam in the South India

まちごとチャイナ
北京 001

はじめての北京
ニーハオ! 北京
［モノクロノートブック版］

「アジア城市（まち）案内」制作委員会
まちごとパブリッシング
http://machigotopub.com

・本書はオンデマンド印刷で作成されています。
・本書の内容に関するご意見、お問い合わせは、発行元の
　まちごとパブリッシング info@machigotopub.com までお願いします。

まちごとチャイナ
［新版］北京001はじめての北京
～ニーハオ！北京

2020年 2月20日　発行

著　者	「アジア城市（まち）案内」制作委員会
発行者	赤松　耕次
発行所	まちごとパブリッシング株式会社
	〒181-0013　東京都三鷹市下連雀4-4-36
	URL http://www.machigotopub.com/
発売元	株式会社デジタルパブリッシングサービス
	〒162-0812　東京都新宿区西五軒町11-13
	清水ビル3F
印刷・製本	株式会社デジタルパブリッシングサービス
	URL http://www.d-pub.co.jp/

MP216

ISBN978-4-86143-364-1 C0326　　　　Printed in Japan